Campau
Saith Cawr

Brenda Wyn Jones

Lluniau gan Peter Brown

Argraffiad cyntaf—1998
Ail argraffiad—2001

ISBN 1 85902 583 8

Cyhoeddir y gyfrol hon gyda chymorth Cyngor Celfyddydau Cymru.

Argraffiwyd yng Nghymru gan
Wasg Gomer, Llandysul, Ceredigion SA44 4BQ

CYNNWYS

CEWRI
CYMRU

Y CARNEDDAU

YR WYDDFA

BERWYN

Cader Idris

Amwythig

PUMLUMON

PRESELAU

RHONDDA

CWM RHYMNI

Aberdaugleddau

1. Cawr yr Wyddfa

'Br-r-r-r! Mae hi'n oer yma!' rhuodd Rhita Gawr un bore.

Wrth gwrs ei bod hi'n oer ar gopa'r Wyddfa yng nghanol mis Ionawr, a dyna lle'r oedd yr hen gawr yn byw. Roedd wrth ei fodd yn cerdded dros fynyddoedd Eryri yn yr eira, gan gamu o un copa i'r llall, ond roedd o bron â rhynnu. Doedd ganddo ddim llawer o wres yn ei ogof chwaith, dim ond tân coed ar ganol y llawr a'r gwynt oer yn chwyrlïo o'i gwmpas ym mhobman.

'Mi wn i be wna i,' meddai o'r diwedd.

A wyddoch chi beth wnaeth o? Gafael yn ei farf fawr laes a'i lapio'n gynnes o gwmpas ei ben a'i wddf.

'Dyna welliant,' meddai, gan gamu dros ddyffryn arall i gael gwell golwg ar ei dir. Rhita oedd pennaeth cewri gogledd Cymru ac roedd yna lawer ohonyn nhw'r adeg honno hefyd, bron pob un yn ffyrnig a chas. Ond doedd yna'r un mor gas â Rhita ei hun ac roedd ar bob cawr arall ei ofn. Hen fwli mawr oedd o, yn bygwth pawb am ei fod yn fwy na neb. A'r bore hwnnw roedd mewn tymer gas gynddeiriog a phob cawr call yn cadw'n ddigon pell i ffwrdd.

'Melltith ar bawb! Rydw i'n dal yn oer,' cwynai eto ymhen sbel. 'Mae fy mhen a 'ngwddw i'n gynnes braf, ond be am y gweddill ohona i?' Erbyn hyn roedd ei gorff yn crynu gan yr oerni a'i draed fel dau lwmp o rew.

'Dyna drueni na fyddai fy marf i'n ddigon mawr i wneud clogyn cynnes,' meddyliodd, a dyna pryd y cafodd o'r syniad. Torri barf pob cawr arall i wneud clogyn iddo'i hun!

Fe fyddai hynny'n ardderchog ac yn dangos iddyn nhw i gyd pwy oedd y meistr. Twt, fe dyfai barf pob un yn ei hôl wedyn ymhen chwinciad, ac fe fyddai'r hen gawr cyfrwys yn siwr o ddod o hyd i ryw esgus i'w cosbi nhw fel hyn.

*   *   *

Y cawr Idris oedd y cyntaf i golli ei farf ac roedd hwnnw'n un eithaf clên a diniwed, a chysidro mai cawr oedd o. Wnaeth Idris erioed ddrwg i neb. Roedd yn

hapus yn byw ar ei ben ei hun yng nghanol mynydd-oedd Eryri, gan gadw'n ddigon pell o'r Wyddfa wrth gwrs! Gwylio'r sêr oedd ei hobi ac fe fyddai wrth ei fodd yn eistedd am oriau ar gopa rhyw fynydd neu'i gilydd i'w gwylio drwy'r nos.

Ar y bore arbennig hwnnw doedd Idris druan yn gwneud dim byd o'i le, dim ond eistedd yn dawel ar ben rhyw fynydd wrth ymyl Dolgellau. Roedd wedi bod yno drwy'r nos yn astudio'r sêr ac yn barod am ei wely. Agorodd ei geg yn fawr ac ymestyn ei freichiau i'r awyr. Cododd ar ei draed i gychwyn ar ei daith a dyna pryd y teimlodd ryw boen rhyfedd ym mawd ei droed.

'Aw!' gwaeddodd a phlygu i lawr i weld beth oedd yn bod. 'Carreg yn fy esgid,' meddai, gan afael yn y garreg a chodi ei fraich i'w lluchio i lawr ochr y mynydd i'r dyffryn islaw.

11

'Dyna ti!' gwaeddodd. 'Gwynt teg ar dy ôl di! Wnei di ddim poeni neb ar y mynydd 'ma byth eto!'

Yr eiliad honno beth welai Idris ond rhyw gysgod mawr rhyngddo a'r haul, a hwnnw'n dod yn nes ac yn nes o hyd. Ie, Rhita Gawr, wrth gwrs.

'Pwy sy'n taflu cerrig ata i?' bloeddiodd Rhita yn ei lais mawr dwfn, nes roedd pob man yn crynu. 'Gwynt teg ar fy ôl i? Dyna be ddwedaist ti'r cnaf?'

'O, na! Naddo wir! Siarad efo'r garreg oeddwn i. Mae'n ddrwg iawn gen i, welais i mohonoch chi'n dod.'

'Tyrd yma!' bloeddiodd Rhita, gan afael ym marf Idris ag un llaw a thynnu siswrn mawr o'i boced â'r llaw arall.

'Mi ddysga i wers i ti,' meddai, gan dorri'r farf yn syth i ffwrdd a'i chwifio o flaen trwyn Idris nes gwneud iddo disian. 'Cofia mai fi ydi pennaeth y cewri a does neb yn cael taflu cerrig ata i.' Ac i ffwrdd â'r hen gawr i wnïo'r farf ar ei glogyn.

*   *   *

Wel, pan glywodd y cewri eraill beth oedd wedi digwydd i Idris, roedd pawb yn gandryll o'u co. Meddyliwch! Torri ei farf i ffwrdd, a hynny am ddim rheswm yn y byd! Roedd y peth yn gywilyddus! Penderfynodd pob un ohonyn nhw guddio a chadw o olwg Rhita am sbel, ond roedd o'n rhy gryf ac yn rhy gyfrwys iddyn nhw. O un i un fe dorrodd farf pob copa walltog ohonyn nhw, a hynny ar yr esgus lleiaf. Yn y diwedd roedd ganddo glogyn cynnes, gwych ac roedd hi'n bleser cael crwydro'r wlad a gweld pawb arall yn rhynnu yn yr oerni.

'Ha, ha! Fi ydi pennaeth y cewri i gyd,' meddai wrtho'i hun un diwrnod. 'Mae'r clogyn yma'n ardderchog, ond bod fy ysgwydd dde i'n oer o hyd. Pam tybed?' Cymerodd gip dros ei ysgwydd a dyna lle'r oedd darn mawr gwag, heb flew arno o gwbl.

'O-ho! Rhaid i mi gael gafael ar un farf arall,' meddai. 'Ond fe fydd yn rhaid i hon fod yn farf arbennig iawn, i mi gael ei rhoi hi ar dop fy nghlogyn i'w orffen yn grand. Barf pwy, tybed?'

Yn anffodus, erbyn hyn roedd Rhita wedi eillio pob cawr yn Eryri a doedd yr un ohonyn nhw wedi cael amser i dyfu barf arall. Dyna pryd y clywodd o fod yna frenin mawr yn y de o'r enw Arthur. Yn ôl pob sôn roedd gan hwnnw farf oedd yn ddigon o ryfeddod. Barf fawr drwchus o liw aur, yr union un i orffen ei glogyn.

Wyddoch chi beth wnaeth Rhita wedyn? Anfon neges at Arthur i ddweud wrtho ei fod am gael ei farf yn anrheg. Fe anfonodd Arthur yn ôl yn syth i ddweud wrtho nad oedd ei farf ar gael i neb, ond y byddai'n dod o hyd i un well hyd yn oed i orffen ei glogyn.

* * *

Pan glywodd Rhita hyn roedd wrth ei fodd ac i ffwrdd ag o i lawr i'r de i gyfarfod â'r brenin Arthur. Nid mynd ar ei ben ei hun, cofiwch, ond mynd â byddin fawr o'i ddynion i ddychryn y brenin. Ond, fel roedden nhw'n nesáu at lys Arthur, fe ddigwyddodd hi ddod yn storm sydyn o fellt a tharanau.

'Be ydi'r holl sŵn yna?' holodd y milwyr ei gilydd. 'A be sy'n fflachio yn yr awyr?'

Roedd pob un yn crynu gan ofn ac yn dychmygu pob math o bethau.

'Fe wn i,' meddai un hen filwr. 'Sŵn milwyr Arthur yn martsio ydi hwnna, a'u cleddyfau nhw'n sgleinio yn yr haul ydi'r golau rhyfedd yn yr awyr.'

Pan glywson nhw hyn fe redodd milwyr Rhita adref am eu bywyd, ond cerddodd y cawr yn ei flaen yn hy i gyfarfod â'r brenin. Pan gyrhaeddodd y llys o'r diwedd, pwy ddaeth allan i'w gyfarfod ond y brenin Arthur ei hun.

'Fe wnest ti addo barf well na honna hyd yn oed, i orffen fy nghlogyn i,' meddai Rhita'n ddigywilydd, gan syllu mewn rhyfeddod ar y farf fawr hardd oedd gan Arthur.

'Do, siwr. Dere 'ma,' meddai Arthur, gan afael ym marf Rhita ag un llaw a'i thorri'n glir i ffwrdd gyda'i

gleddyf mawr miniog. 'Dyma ti,' meddai, 'dyma'r farf ore i ti. Ond dwyt ti ddim i'w gwnïo hi ar ben dy glogyn chwaith. Ar y gwaelod mae hon i fynd.'

Roedd yr hen gawr bron â thorri ei galon erbyn hyn. 'Ond pam?' llefodd.

'Wel, rwyt ti wedi bod yn dipyn o fwli lan tua'r gogledd 'na, yn ôl pob sôn. O hyn allan fe fyddi di'n was i mi, ac fe fydd gweld dy farf di'n llusgo'r llawr yn dangos hynny i bawb. Nawr ffwrdd â ti'n ôl adre a chofia fihafio dy hun, neu . . .'

A dyna fu. Fe fu'n rhaid i Rhita fod yn ofalus iawn ar ôl hynny, neu fe fyddai'r cewri eraill i gyd yn siwr o anfon am Arthur. A does wybod beth fyddai'r brenin yn ei wneud iddo y tro nesaf!

2. Cawr y Rhondda

'Fi yw'r cryfa o'r cewri i gyd,
Fi yw'r gore yn y byd!'

Brolio, brolio, brolio! Dyna'r cyfan wnâi Hywel Gawr o fore gwyn tan nos. Doedd hwn ddim hanner mor gas â'r hen Rhita, cofiwch, ond roedd o'n dipyn o boen i bawb am ei fod byth a hefyd yn herio'r cewri eraill i ymladd. Roedd pawb yng Nghwm Rhondda wedi cael mwy na digon arno, a'r un gân oedd ganddo o hyd ac o hyd, fel tiwn gron:

'Fi yw'r cryfa o'r cewri i gyd,
Fi yw'r gore yn y byd!'

Wrth gwrs roedd pawb yn cytuno, achos doedd arnyn nhw ddim eisiau rhoi esgus iddo roi cweir iddyn nhw. Ond mewn gwirionedd, er ei fod yn edrych mor gas ac mor uchel ei gloch bob amser, hen fabi mawr oedd Hywel, fel pob bwli. A'r diwedd fu iddo fynd dros ben llestri gyda'i holl frolio a dyma i chi beth ddigwyddodd.

Clywed wnaeth o fod yna gawr mawr yn Iwerddon oedd yn codi ofn ar bawb. Yn wir, roedd pobl yn dweud mai hwnnw oedd y cawr cryfaf a'r mwyaf yn y byd i gyd. A wyddoch chi beth wnaeth Hywel? Herio'r cawr o Iwerddon i ddod dros y môr i ymladd. Wrth gwrs roedd o'n gwybod yn iawn na fyddai hwnnw'n cymryd dim sylw o'r sialens—neu dyna roedd o'n obeithio beth bynnag.

'Wedi'r cyfan, mae Iwerddon yn ddigon pell dros y môr,' cysurai Hywel ei hun. 'Er, fe glywais i Nhad yn dweud fod y cawr Bendigeidfran wedi cerdded o Gymru i Iwerddon un tro. Ta waeth, pwy glywodd erioed am gawr o Iwerddon yn dod draw yma? Ddaw e byth, mae hynny'n siwr.'

*   *   *

Fe aeth misoedd heibio ac erbyn hyn roedd Hywel yn brolio'n fwy nag erioed.

'Mae'n rhaid 'mod i'n gryf. Mae hyd yn oed cawr mawr Iwerddon yn rhy ofnus i ddod dros y môr i ymladd gyda fi.

> Fi yw'r cryfa o'r cewri i gyd,
> Fi yw'r gore yn y byd!'

Roedd pawb wedi cael llond bol ar ei holl frolio, ond allai neb wneud dim, dim ond cytuno.

Yna, un bore, pan oedd Hywel yn eistedd o flaen drws ei fwthyn yn disgwyl i'w wraig wneud brecwast iddo, pwy welai yn y pellter yn dod i'w gyfeiriad ond y cawr mawr o Iwerddon. Roedd hwnnw mor anferth nes ei fod yn edrych fel mynydd mawr yn symud i fyny'r cwm, a'i ddau lygad yn disgleirio fel dau lyn yn haul y bore. Rhedodd Hywel i'r tŷ wedi dychryn a mynd i guddio o dan y bwrdd.

'Beth ar y ddaear sy'n bod arnat ti?' holodd ei wraig.

'Y cawr o Iwerddon!' llefodd Hywel. 'Mae e ar ei ffordd yma nawr!'

'Ond ro'n i'n meddwl dy fod ti'n edrych ymlaen i'w weld e!'

'Ie, ie, ond cer i'r ffenest i ti gael golwg arno. Mae e'n llawer mwy na fi. O, beth wna i?'

'Rwy'n gwybod,' meddai ei wraig ar ôl meddwl am funud. 'Mae syniad 'da fi! Cer lan stâr a chuddio o dan y gwely.'

'Ond mae e'n siwr o ddod o hyd i mi yno,' protestiodd Hywel.

'Gwna di fel rwy'n dweud,' meddai ei wraig, 'ac efallai y galla i dy achub di. Ond rwyt ti'n gawr ffôl iawn, yn dod â'r holl helynt yma ar dy ben heb fod eisie.'

'Ydw, rwy'n gwybod hynny nawr,' llefodd Hywel. 'Ond os gwnei di fy achub i, wna i byth frolio eto, rwy'n addo.'

'Wir?' meddai ei wraig yn obeithiol, achos roedd hithau wedi cael mwy na digon ar ei glywed yn ei ganmol ei hun o hyd ac o hyd.

'Wir, rwy'n addo,' meddai Hywel.

'Iawn!' meddai ei wraig. 'Siapa! Rho dy 'sgidie i mi a mynd lan stâr i guddio.'

Sleifiodd Hywel i fyny'r staer a chuddio o dan y gwely anferth. Roedd ei galon yn curo'n uchel fel cloc mawr a'i goesau'n crynu fel jeli. Yna gafaelodd ei wraig yn yr esgidiau, eu gosod mewn lle amlwg o flaen y tân a mynd ymlaen i baratoi'r bwyd yn hamddenol, braf.

'Y gore o'r bore i chi! Oes yma groeso i Gwyddel Gawr?' taranodd llais o'r drws.

'Oes, wrth gwrs. Dewch i mewn,' meddai gwraig Hywel gan wenu arno. 'Mae'r bwyd bron yn barod ac mae croeso i chi gael brecwast gyda ni pan ddaw'r gŵr adre.'

'A-ha! Dyna'r un rydw i wedi dod yr holl ffordd i'w weld,' meddai Gwyddel Gawr. 'Ble mae Hywel felly? Yn ei wely?' A syllodd ar yr esgidiau anferth oedd yn gorwedd o flaen y tân.

'Nage, mâs yn hela,' meddai'r wraig wrtho'n syth, gan edrych i fyw ei lygaid. 'Ond fe fydd e'n falch o'ch gweld chi. Fe glywes i e'n dweud sawl tro ei fod yn edrych ymlaen at eich cyfarfod chi.'

'Felly wir? Fe gawn ni weld am hynny. Ond beth ydi'r rhain?' a phwyntiodd y cawr at yr esgidiau ar yr aelwyd. 'Mae Hywel yn hela yn nhraed ei sanau felly? Choelia i fawr. Mae'r broliwr mawr yn y tŷ yma'n rhywle yn cuddio, am ei fod yn ormod o fabi i fy wynebu i.'

'Nag yw, wir,' meddai'r wraig yn daer.

'Pwy biau'r rhain, te?'

'O, 'sgidie'r babi yw'r rheina,' oedd yr ateb. 'Mae e'n ei wely lan stâr, y cariad bach.'

Syllodd Gwyddel Gawr yn syn ar yr esgidiau anferth a dechreuodd feddwl yn galed.

'Conamara!' meddai wrtho'i hun. 'Os ydi'r babi mor fawr â hyn, rhaid fod ei dad yn anferth!'

'Newydd gofio, Musus,' meddai a'i lais yn crynu.

'Mae'n rhaid i mi frysio'n ôl i Iwerddon. Pwyllgor pwysig yn Tipperary . . . gig yn Galway . . . rhaid i mi fynd . . . ar unwaith!'

Trodd ar ei sawdl ac i ffwrdd ag o i lawr y cwm tua'r môr, fel ci a'i gynffon rhwng ei goesau. Roedd am wneud yn siwr ei fod wedi diflannu cyn i Hywel gyrraedd adref!

* * *

'Fe gei di ddod i gael dy frecwast nawr,' galwodd gwraig Hywel arno ymhen sbel.

'Ydi e wedi mynd?'

'Ydi, a ddaw e byth yn ôl chwaith,' chwarddodd hithau.

'Diolch byth!' meddai Hywel yn hapus a dechrau canu, 'Fi yw'r cryfa . . .'

'Gad dy nonsens!' meddai ei wraig yn siort. 'Cofia di beth wnest ti addo i mi. Dim mwy o frolio, neu fe fydda i'n dweud wrth bawb sut y cest ti wared â Gwyddel, y cawr mawr o Iwerddon.'

'O, o'r gore,' cytunodd Hywel yn benisel, a dechrau pwdu'n syth. Roedd yr hen fabi mawr wedi dechrau edrych ymlaen i gael adrodd ei fersiwn ef o'r stori wrth y cewri eraill i gyd. 'A, wel . . .'

O hynny allan, wnaeth Hywel ddim brolio ei fod yn well ac yn gryfach na phawb arall. O, na! Roedd arno ormod o ofn i'w wraig ddweud y gwir am y bore y daeth Gwyddel, y cawr mawr o Iwerddon, i chwilio amdano!

3. Cawr y Carneddau

Geneth fach brydferth iawn oedd Fflur, ond roedd hi'n unig iawn. Hen gawr cas oedd ei thad, Idwal, ac roedd yn rhaid iddi aros yn y castell i edrych ar ei ôl. Gwneud bwyd iddo, golchi a smwddio ei ddillad a glanhau'r hen gastell bob dydd. Doedd hi byth yn cael mynd i'r dref i siopa a doedd ganddi hi ddim un ffrind, druan bach. Doedd yna neb byth yn meiddio dod yn agos i'r castell tywyll ym mynyddoedd y Carneddau chwaith, gan fod Idwal yn gawr mor gas a ffyrnig. Roedd yn waeth o lawer na'r hen Ysbaddaden Bencawr hyd yn oed, ac fel y gŵyr pawb, fe gafodd Olwen druan ddigon o drafferth efo hwnnw. Ond, rhyngoch chi a fi, roedd yna reswm arall hefyd. Doedd yr hen gawr ddim yn hoff iawn o ddŵr a fyddai o byth, byth yn ymolchi!

Yna, un diwrnod, fe aeth Fflur allan i'r caeau o gwmpas y castell i gael tipyn o awyr iach ac i gasglu mwyar duon. Teisen fwyar duon oedd ffefryn ei thad ac roedd hi'n meddwl efallai y byddai o'n llai cas wrthi wedi cael ei hoff fwyd i ginio.

Pwy ddaeth heibio ond bachgen ifanc, hardd.

'Helô,' meddai wrthi. 'Pwy wyt ti?'

'Fflur,' meddai hithau'n swil, gan ddal ei phen i lawr

a syllu arno trwy gil ei llygaid. Doedd hi erioed wedi gweld bachgen mor hardd â hwn o'r blaen.

'Ffrancon ydw i. Wnei di fy helpu i? Rydw i ar fy ffordd i'r dre, ond 'mod i wedi colli fy ffordd rywsut. Does gen i ddim syniad i ba gyfeiriad i fynd.'

'Gwnaf siwr,' meddai Fflur yn llawen, a dyna'r ddau yn dechrau sgwrsio.

'O, rhaid i mi fynd,' meddai hi yn y diwedd. 'Mae hi bron yn amser cinio ac fe fydd Nhad yn flin os na fydd ei fwyd ar y bwrdd yn barod iddo.'

'Gaf i ddod yn ôl eto fory?' holodd Ffrancon.

'Cei, siwr,' cytunodd Fflur, 'ond rhaid i ni fod yn ofalus rhag i Nhad ein gweld ni.'

*   *   *

Wel i chi, fe fu'r ddau yn cyfarfod bob dydd ar ôl hynny. Yn wir, roedd yr hen gawr wedi dechrau blino ar deisen fwyar duon, er ei fod mor hoff ohoni.

'Wnei di fy mhriodi i?' gofynnodd Ffrancon i Fflur un bore. Erbyn hyn roedd y bachgen wedi syrthio dros ei ben a'i glustiau mewn cariad â hi. 'Tyrd, fe awn ni i'r castell i weld dy dad. Rydw i am ofyn iddo amdanat ti'n wraig.'

'O, na!' meddai Fflur, wedi dychryn yn arw er mor hapus oedd hi. 'Hen gawr cas ydi Nhad ac mae o'n siwr o wneud rhywbeth ofnadwy i ti. Does dim gobaith i ni gael priodi byth.'

Dechreuodd wylo, ond roedd Ffrancon yn benderfynol o'i chael yn wraig.

'Paid â bod yn drist,' meddai. 'Wyddost ti be wnawn ni? Dianc i ffwrdd heb ddweud wrtho. Tyrd ti yma ben bore fory wedi pacio dy bethau'n barod ac fe gaf innau fenthyg ceffyl cyflym i ni gael dianc o'i afael.'

Cytunodd Fflur o'r diwedd, ond roedd hi'n dal i boeni. Fe wyddai'n iawn am yr hud a'r swynion oedd gan ei thad. Fe fyddai'r cawr yn siwr o ddod ar eu holau a'u dal.

'Mi wn i be wna i,' meddai wrthi ei hun fore trannoeth wrth roi ei dillad mewn bag, yn barod i ddianc gyda'i chariad. Sleifiodd ar flaenau ei thraed i lofft ei thad i chwilio am dri pheth arbennig iawn oedd yn perthyn iddo. Gan fod y tri pheth yma'n llawn swyn roedd hi'n gobeithio y bydden nhw'n eu helpu i ddianc o'i afael. Cydiodd mewn crib, rasal a drych a'u cuddio yn ei bag. Yna allan â hi i'r caeau i gyfarfod â Ffrancon.

*   *   *

Pan ddaeth Idwal adref i ginio a gweld y bwrdd yn wag, dechreuodd ruo a bytheirio nes dychryn pawb drwy'r wlad i gyd.

'Ble mae'r eneth ddiog 'na? Ble mae 'nghinio i?'

Ond, er iddo chwilio'r castell i gyd, pob twll a chornel ohono, doedd dim golwg o Fflur yn unman.

'Tyrd â 'ngheffyl i!' gwaeddodd ar y gwas, 'i mi gael mynd i chwilio amdani.'

Erbyn hyn roedd Fflur a Ffrancon wedi carlamu i ffwrdd am filltiroedd, ond pan edrychodd Fflur yn ôl dros ei hysgwydd, pwy welai hi'n dod yn y pellter ond ei thad. Roedd y cawr yn teithio'n gyflymach o lawer na nhw ar ei geffyl anferth ac yn dod yn nes ac yn nes bob munud.

'Cymer hwn!' meddai Fflur, gan roi ei llaw yn y bag, tynnu'r crib allan a'i daflu i'r llawr y tu ôl iddi. Yn sydyn fe dyfodd fforest fawr o goed uchel yn llawn o ddrain a mieri trwchus, yn yr union fan lle syrthiodd y crib. Roedd hi'n clywed ei thad yn gweiddi arni yn y pellter, ond allai o ddim gwthio ei ffordd drwy'r coed trwchus.

Fe gymerodd oriau i'r cawr dorri llwybr drwodd gyda'i gleddyf ac erbyn hynny roedd Fflur a Ffrancon filltiroedd i ffwrdd. Ond pan edrychodd yr eneth yn ei hôl ymhen sbel, dyna lle'r oedd o'n carlamu'n gyflym ar eu holau unwaith eto.

'Cymer hwn!' meddai hi eto, gan dynnu'r rasal o'i bag a'i thaflu i'r llawr.

Yn yr union fan lle glaniodd y rasal ar y ddaear fe dyfodd rhes o fynyddoedd uchel, rhy uchel o lawer hyd yn oed i gawr eu dringo. Roedd Fflur a Ffrancon yn ei glywed yn bloeddio mewn cynddaredd wrth weld ei ffordd yn cael ei rhwystro eto.

Fe gymerodd oriau iddo dyllu ei ffordd drwy'r mynyddoedd, ond yn y diwedd roedd wedi llwyddo i dorri twll mawr yn syth drwy grombil y mynydd efo'i ddwylo. A'r tro nesaf i Fflur edrych yn ôl, dyna lle'r oedd o, yn dynn wrth eu sodlau.

'O, na!' meddyliodd. 'Does gen i ond un peth ar ôl.' Gafaelodd yn y drych a'i daflu i'r llawr y tu ôl iddi.

Yn sydyn trodd y drych hud yn llyn mawr dwfn oedd yn ymestyn am filltiroedd. Erbyn hyn roedd Idwal yn gandryll o'i go, achos doedd o ddim yn gallu dioddef mynd yn agos at ddŵr. Felly tynnodd yn wyllt yn y cyfrwy a rhoi cymaint o fraw i'r ceffyl druan nes i hwnnw godi ar ei draed ôl a'i daflu i ganol y dŵr.

A dyna oedd diwedd yr hen gawr cas. Cafodd ei foddi yn y llyn ac roedd Fflur yn rhydd o'r diwedd i briodi ei chariad. Bu'r ddau fyw'n hapus iawn wedi hynny, ond bob tro y byddai Fflur yn cribo ei gwallt neu Ffrancon yn siafio, fe fydden nhw'n cofio am Idwal, hen gawr y Carneddau.

4. Cawr y Preselau

'O, beth wnawn ni? Beth wnawn ni?'

Dyna'r cwestiwn ar wefusau pawb oedd yn byw o gwmpas Aberdaugleddau yn Sir Benfro un tro—y bobl a'r tylwyth teg. Welodd neb y fath storm ar y môr erioed o'r blaen. Roedd tonnau anferth yn suddo'r llongau yn y bae, a'r bythynnod oedd yn agos i'r traeth yn cael eu boddi gan y llif.

A wyddoch chi beth oedd achos hyn i gyd? Dau anghenfil oedd wedi dechrau ymladd allan yn y môr, a'r rheini'n ddau anghenfil cas ofnadwy hefyd. Roedden nhw'n edrych yn union fel dwy neidr anferth ac wrth iddyn nhw ymosod ar ei gilydd roedd y dŵr o'u cwmpas fel crochan mawr yn berwi. Yna, fel roedden nhw'n troi a throsi ar wely'r môr, roedd y mwd a'r tywod yn cael ei daflu i'r tir ac yn dechrau cau ceg y ddwy afon Cleddau a difetha'r bae i gyd. Ac yn waeth fyth, wrth iddyn nhw chwipio eu cynffonnau'n wyllt yn ôl ac ymlaen roedd tonnau uchel yn torri ar y traeth.

Roedd pethau'n mynd yn waeth o ddydd i ddydd a dim arwydd fod y ddwy ddraig yn mynd i roi'r gorau i ymladd. O'r diwedd fe benderfynodd y tylwyth teg a'r corachod ddod at ei gilydd a chael pwyllgor mawr i drafod y mater, ond doedd gan neb y syniad lleiaf beth i'w wneud wedi oriau o siarad.

'Beth am ofyn i gawr y Preselau ein helpu ni?' awgrymodd Moelyn, yr hynaf o'r corachod, o'r diwedd.

Dyna i chi beth od i'w ddweud, yntê? Gofyn am help gan gawr? Rhedeg am eu bywyd oddi ar eu ffordd y byddai pawb fel arfer, ond roedd hwn yn gawr caredig, un gwahanol iawn i Rhita Gawr—a'r rhan fwyaf o'r lleill hefyd o ran hynny.

'Ond does neb wedi ei weld e ers blynyddoedd . . .'

'Dim ond unwaith bob can mlynedd mae e'n dihuno . . .'

'Mae'n cysgu'n drwm mewn ogof yn rhywle yn y Preselau, medden nhw . . .'

'Allwn ni byth ddod o hyd iddo.'

Roedd pawb yn siarad ar draws ei gilydd, ond yna fe ddaeth llais bach o'r cefn.

'Mae Moelyn yn llygad ei le. Does gynnon ni ddim dewis arall. Dewch, fe awn ni i chwilio am gawr y Preselau a gofyn iddo fe ddod i'n helpu ni!'

Trodd Moelyn ei ben i weld pwy oedd yn siarad.

'Diolch, Mymryn,' meddai gan wenu'n garedig ar y lleiaf un o'r tylwyth teg, a'r callaf hefyd. 'Roeddwn i'n gwybod y byddet ti'n cytuno mai dyma'r unig ffordd i'n hachub ni.'

*   *   *

Wrth gwrs roedd pawb wedi clywed eu neiniau a'u teidiau yn sôn am gawr mawr y Preselau, ac yn gwybod fod gan hwn galon fawr hefyd. Fe fyddai'n siwr o'u helpu rywsut, ond ble'r oedd o, dyna oedd y broblem. I ffwrdd â nhw, criw mawr ohonyn nhw, i chwilio am ei ogof yn y mynyddoedd. Chwilio a chwilio am ddyddiau lawer, ond yn methu'n lân â dod o hyd i geg yr ogof lle'r oedd y cawr yn cysgu. Yna, un diwrnod, fel roedden nhw'n dringo mynydd Moelcwmcerwyn, fe sylwodd Mymryn fod yna ryw sŵn rhyfedd yn dod o'r ddaear oddi tano.

'Hei, arhoswch!' gwaeddodd. 'Mae 'na rywbeth od iawn fan hyn. Gwrandewch!'

Roedd pawb wedi dychryn wrth glywed y sŵn rwmblan rhyfedd o dan eu traed.

'Daeargryn yn dechrau!' gwaeddodd rhywun.

'Brysiwch, rhaid i ni ddianc am ein bywyd!' rhybuddiodd un arall yn ofnus.

'Nage siwr, arhoswch!' meddai Mymryn yn ddiamynedd. 'Dyw'r tir dan ein traed ni ddim yn crynu o gwbl. Ogof sydd yma o dan y ddaear yn rhywle a dyna ble mae'r hen gawr yn cysgu, siwr i chi. Sŵn ei chwyrnu e yw'r sŵn rhyfedd 'na.'

Rhedodd pawb i chwilio pob twll a chornel o gwmpas ac o'r diwedd fe ddaethon nhw o hyd i geg ogof fawr yn llechu dan y copa.

'Roedd Mymryn yn iawn! Fan'ma mae e! Dewch i'w ddihuno!' gwaeddodd rhywun.

Ond doedd hynny ddim yn waith hawdd, hyd yn oed ar ôl iddyn nhw ddod o hyd i'r cawr. Roedd hwnnw'n cysgu'n braf ym mhen pellaf yr ogof, ac yn chwyrnu

cymaint nes roedd pawb yn gorfod rhoi eu dwylo dros eu clustiau wrth ddod yn nes ato. Neidiodd rhai o'r tylwyth teg ar ei gefn, ar ei ben, ar ei ysgwydd ac ar ei fol mawr tew, er mwyn ceisio ei ddeffro. Dechreuodd un neu ddau o'r rhai mwyaf mentrus hongian ar ei farf fawr drwchus a'i thynnu. Roedd rhai eraill yn gweiddi nerth esgyrn eu pen, ond gan fod eu lleisiau'n fach ac yn fain, doedd y cawr ddim yn clywed, hyd yn oed pan fentrodd dau neu dri i mewn i'w glust i floeddio!

'Arhoswch funud,' meddai Mymryn o'r diwedd. 'Fe wn i beth wnawn ni.'

Tynnodd bluen o'i het a dechrau cosi trwyn y cawr. Ac yn wir i chi, ymhen munud neu ddau fe ddechreuodd y trwyn symud yn ôl ac ymlaen a chododd y cawr ei law fawr i'w rwbio.

'Mas o'r ffordd, bois!' rhybuddiodd Mymryn. 'Mae e'n mynd i . . .'

'A-a-a-a-a-A-A-A-A-A . . . TISHW!'

Diolch i'r drefn, roedd pawb wedi rhedeg i guddio rownd y gornel i ogof fach arall cyn i'r cawr ddechrau tisian, neu fe fyddai wedi eu chwythu nhw'r holl ffordd yn ôl i Aberdaugleddau! Agorodd un llygad enfawr ac edrych o'i gwmpas yn syn.

'Pwy sy'n tarfu arna i fel hyn?' meddai'n gysglyd. 'Llygod bach sy'n cropian draw acw yn y tywyllwch?'

'Nage, y tylwyth teg a'r corachod sydd yma,' meddai Mymryn yn ddewr. 'Mae'n ddrwg iawn gen i, ond roedd yn rhaid i ni dy ddihuno di.'

'Ond dyw hi ddim yn amser eto, does bosib?' holodd y cawr.

'Nag yw, fe wyddon ni hynny'n iawn. Ond alli di ein

helpu ni? R'yn ni mewn trafferthion mawr i lawr yn y bae.'

'Beth sy'n bod, felly?' Erbyn hyn roedd y cawr wedi agor ei ddau lygad ac yn gwrando'n astud.

Wrth gwrs roedd pawb eisiau dweud wrtho am y ddau anghenfil a'r stormydd a'r holl helynt i lawr yn Aberdaugleddau a dechreuodd pawb siarad ar draws ei gilydd unwaith eto.

'Ust, ust!' chwarddodd y cawr o'r diwedd. 'R'ych chi'n swnio'n union fel llygod bach yn gwichian. Wrth gwrs fe wnaf i eich helpu chi, os galla i. Gadewch i ni fynd i lawr i'r bae i gael gweld beth yw'r holl helynt.'

✳   ✳   ✳

Camodd y cawr o gopa'r mynydd i lawr i'r traeth mewn deg cam, a'i bocedi'n llawn o dylwyth teg a chorachod oedd wrth eu bodd yn cael reid mor gyffrous. A dyna lanast oedd ar y wlad o gwmpas. Roedd mwd brown wedi cael ei daflu dros y caeau ym mhobman, yn union fel petai rhyw dyrchod daear anferth wedi bod wrthi'n brysur yn twnelu o dan y tir i gyd. Erbyn hyn roedd tomennydd o fwd du wedi llenwi'r aber a'r pysgotwyr yn methu mynd a dod i bysgota yn y môr. Edrychodd y cawr o'i gwmpas mewn syndod ac yna, wedi iddo ollwng ei ffrindiau bach i gyd o'i bocedi'n ofalus, aeth i sefyll gydag un droed ar un ochr i'r aber a'r llall yr ochr arall. Plygodd i lawr a chodi pentwr mawr o fwd yn ei ddwylo a'i daflu o'r ffordd ar ochr y mynydd.

Dechreuodd y dŵr lifo i mewn i'r bae ar unwaith, ond fe fu'r cawr yn brysur am oriau cyn clirio'r llanast i gyd.

'Dyna chi, ffrindie bach,' meddai o'r diwedd, gan sychu'r chwys oddi ar ei wyneb gyda hances boced cymaint â lliain bwrdd. 'Fe alla i fynd 'nôl i gysgu nawr, siawns.'

'Ond mae'r ddau anghenfil yn dal i ymladd,' protestiodd Mymryn. 'Edrych ar y tonnau 'na!'

Y funud honno fe aeth y môr yn dawel, dawel ac edrychodd pawb mewn syndod wrth weld un anghenfil yn nofio allan i'r môr mawr. Ond, er syllu a syllu, doedd dim golwg o'r llall yn unman. Roedd y frwydr drosodd o'r diwedd.

'Hwrê!' bloeddiodd y tylwyth teg a'r corachod i gyd. 'Hip, hip, hwrê i gawr y Preselau! Rwyt ti wedi ein hachub ni i gyd unwaith eto.'

'Popeth yn iawn,' meddai yntau'n glên, gan agor ei geg yn fawr, fawr. 'O, rwy wedi blino. Fe af i'n ôl i'r ogof nawr, a chofiwch chi beidio â 'neffro i am gan mlynedd eto!'

I ffwrdd â'r cawr caredig, gan adael pawb yn hapus unwaith eto, a welodd neb byth mohono wedyn. Ond maen nhw'n dweud ei fod wedi gadael ôl ei draed ar y traethau o gwmpas Aberdaugleddau wrth iddo sefyll a'i goesau ar led i godi'r mwd o'r bae. Os ewch chi i lawr i Sir Benfro ryw dro, cofiwch chwilio am olion traed cawr caredig y Preselau.

5. Cawr Cwm Rhymni

Dyna i chi le hapus oedd yng Nghwm Rhymni ers talwm, pawb yn mwynhau canu a dawnsio, yn enwedig y tylwyth teg. Yna fe ddaeth cawr cas i fyw i Gilfach Fargoed, gan adeiladu twr uchel iddo'i hun a gardd fawr o'i amgylch. Roedd ar bawb ei ofn am ei fod yn dal pobl a thylwyth teg i'w lladd, ac wrth reswm roedd pawb yn gwneud ei orau glas i gadw o'i ffordd.

Fe fyddai hwn yn codi ofn ar yr hen Rhita Gawr hyd yn oed, roedd mor hyll a dychrynllyd i edrych arno. Ac roedd hi'n goblyn o anodd dianc o'i afael gan fod un o'i lygaid yng nghanol ei dalcen a'r llall ar ei gorun, nes ei fod yn gallu gweld i bob cyfeiriad. Yn waeth na hynny roedd yn cario ffon fawr anferth a neidr wenwynig wedi cyrlio o'i hamgylch. Does ryfedd fod ar bawb ofn ei gysgod a'u bod yn llercian fel llygod bach ym mhobman, yn enwedig y plant.

Ond roedd un bachgen dewr wedi penderfynu ei fod am ladd cawr y Gilfach. Bachgen deg oed oedd Ianto, yn byw gyda'i fam mewn bwthyn ar gwr y goedwig, ac roedd ganddo reswm arbennig dros gasáu'r cawr. Roedd ei fam wedi diflannu un diwrnod wrth fynd i gasglu coed tân yn y goedwig. Fe aeth wythnosau heibio ac, er iddo chwilio a chwilio'r ardal i gyd, doedd dim golwg ohoni yn unman.

'Mae'n rhaid fod cawr y Gilfach wedi cael gafael arni a'i lladd,' meddai Ianto wrtho'i hun. 'Fe hoffwn i gael gwared ag e er mwyn i bawb gael bod yn hapus unwaith eto. Does gen i ddim gobaith cael Mam yn ôl chwaith, ond fe af i at frenhines y tylwyth teg i ofyn am ei help. Mae hi'n siwr o wybod beth i'w wneud.'

*   *   *

Y noson honno, yn lle mynd i'w wely, sleifiodd Ianto drwy'r coed i chwilio am y frenhines. Ond ble'r oedd hi? Crwydrodd o gwmpas am oriau heb weld neb, ond wrth iddo ddechrau digalonni fe gofiodd am rywbeth roedd ei fam wedi ei ddangos iddo.

'Rwy'n gwybod! Fe ddangosodd Mam yr union fan lle byddai'r tylwyth teg yn arfer dawnsio 'slawer dydd, cyn i'r cawr ddifetha popeth. Fe af i yno i weld.'

Ac i ffwrdd â Ianto i lawr yr allt i gyfeiriad y llecyn bach gwyrdd yng nghanol y goedwig. Oedd, roedd hi yno o hyd, yn eistedd ar graig fechan fel petai hi'n disgwyl amdano.

'Ac fe ddest ti o'r diwedd, Ianto,' meddai hi mewn llais fel cloch fach arian. 'Da iawn. Beth alla i ei wneud i ti?'

'Wnewch chi fy helpu i i ladd cawr y Gilfach? Rwy'n unig ac yn drist iawn ac arno fe mae'r bai am y cyfan. Mae e wedi lladd Mam a does gen i neb ar ôl.'

'Wn i ddim am hynny,' meddai hithau gan wenu arno'n garedig. 'Ond fe wn i'n iawn at bwy i fynd i ofyn am help i ti.'

'Pwy? Pwy?' holodd Ianto'n wyllt. Roedd ar dân eisiau cael gwybod.

'Sylwest ti ar y dylluan sy'n canu yn y dderwen fawr ar gwr y goedwig?'

'Do, mae hi yno ers yr amser y collais i Mam ac yn fy nghadw i'n effro bob nos gyda'i sŵn trist, digalon.'

'Hi fydd yn gwybod beth i'w wneud. Cer at y dylluan i ofyn am ei help.'

'Mynd at y dylluan? Ond sut y gall hi fy helpu i?'

'Gwna di fel rwy'n dweud ac fe gei di weld.'

'Ond alla i ddim ei deall hi'n siarad.'

'Wel, fe fydd yn rhaid i mi ddod gyda ti felly.' Ac i ffwrdd â'r ddau drwy'r goedwig i gael gair â'r dylluan cyn i'r haul godi.

'Dylluan, dylluan, sut y gallwn ni gael gwared â chawr y Gilfach?' holodd y frenhines.

'Tw-whit, tw-hw. Tw-whit, tw-hw,' dechreuodd y dylluan siarad, ond er bod Ianto'n gwrando'n astud arni doedd o'n deall yr un gair.

'Diolch i ti, dylluan,' meddai'r frenhines o'r diwedd. 'Gwranda, Ianto, dyma beth mae'r dylluan yn ei ddweud:

Rhoi bwa a saeth yn y dderwen fawr
Yw'r unig ffordd i ladd y cawr.'

'Bwa a saeth yn y dderwen? Ond sut y gall hynny ladd y cawr?' Doedd Ianto druan ddim yn deall.

'Gwna di'n union fel y mae'r dylluan yn dweud ac fe gei di weld.'

'O, o'r gore,' meddai Ianto'n siomedig. Doedd o ddim

yn gweld cynllun felly'n gweithio rywsut, ond roedd yn fodlon rhoi cynnig arni.

*   *   *

Brysiodd adref i chwilio'r bwthyn am hen fwa saeth ei dad-cu. Roedd hwnnw'n un cryf ac wrth lwc roedd digon o saethau ar ôl yn y bag lledr oedd yn hongian y tu ôl i'r drws. Dewisodd Ianto ddwy saeth finiog, rhag ofn i bwy bynnag oedd yn mynd i geisio lladd y cawr fethu gyda'r ergyd gyntaf. Yna roedd yn rhaid iddo fentro allan i'r goedwig unwaith eto, er bod y wawr wedi torri erbyn hyn. Fe wyddai'n iawn fod y cawr yn arfer crwydro'r ffordd honno'n aml yn ystod y dydd, ond welodd o ddim golwg ohono, wrth lwc. Doedd dim golwg o'r dylluan ar frigau'r dderwen chwaith, ond fe wyddai Ianto ei bod hi yno'n cysgu yn un o'r tyllau yn y goeden.

'Dyma ti, dylluan fach,' meddai wrth osod y bwa a'r ddwy saeth yn ddiogel rhwng y brigau. 'Wn i ddim sut mae hyn yn mynd i helpu, ond dyna beth ddwedest ti:

> Rhoi bwa a saeth yn y dderwen fawr
> Yw'r unig ffordd i ladd y cawr.'

Ac i ffwrdd â'r bachgen dewr, gan frysio adref nerth ei draed rhag ofn i'r cawr ei weld.

*   *   *

Y diwrnod hwnnw, ar ôl cael cinio blasus o gig a grefi, daeth cawr y Gilfach allan o'r twr a chrwydro i gyfeiriad y goedwig i gyfarfod â'i gariad. Oedd wir, roedd gan yr hen gawr gariad er mai ef oedd y peth hyllaf ar wyneb y ddaear. Ond cofiwch, doedd hithau ddim yn bictiwr chwaith. Hen wrach hyll, hyll oedd Erchyllwen, cariad y cawr, ond roedd o'n meddwl y byd ohoni ac yn credu mai hi oedd y ferch dlysaf a wisgodd esgid erioed.

'Ble mae Erchyllwen annwyl, tybed?' meddai'r cawr wrtho'i hun wedi iddo fod yn sefyll yn hir o dan yr hen dderwen. Dyna lle y bydden nhw'n cyfarfod bob dydd bron, ond fel arfer yr hen wrach fyddai'n cyrraedd gyntaf. Wedi'r cyfan, roedd hi'n gallu gwibio yno mewn chwinciad ar ei sgubell hud. Doedd dim rhaid iddi gerdded i unman.

'O, rwy' wedi blino,' meddai'r hen gawr wrth y neidr a nodiodd honno arno gan hisian yn isel. 'Fe eisteddwn ni o dan y goeden i aros amdani. Fydd hi ddim yn hir,

siawns.' Gollyngodd ei ben ôl mawr i lawr ar y glaswellt yn glep, nes bod y ddaear am filltiroedd o gwmpas yn crynu. Roedd pobl y cwm i gyd wedi dychryn ac yn meddwl fod yna ddaeargryn wedi digwydd.

Gan fod yr haul yn boeth, o dipyn i beth fe syrthiodd yr hen gawr i gysgu. Pan ddechreuodd chwyrnu dros y lle fe ddaeth y dylluan allan o'i thwll yn y goeden a gafael yn y bwa'n dynn gyda'i chrafanc. Yna rhoddodd saeth ynddo'n ofalus gan ei dal yn ei phig ac anelu'n syth am galon yr hen gawr.

'Whish!' Saethodd y saeth drwy'r awyr gan ei ladd yn y fan a'r lle. Yn rhyfedd iawn, yr eiliad honno fe lithrodd y neidr i lawr o'r ffon fel llinyn llipa a gorwedd yn bentwr llonydd ar y llawr. Roedd hithau wedi marw hefyd.

'Hwrê!' meddai'r tylwyth teg oedd yn cuddio yn y coed yn gwylio. 'Dyna ddiwedd ar gawr y Gilfach a'i hen neidr gas!'

Ond cyn iddyn nhw gael cyfle i ddechrau dathlu, dyna gysgod mawr du yn dod i lawr drwy'r coed fel roced. Ie, yr hen wrach oedd yno, wedi dod i weld ei chariad.

'O, 'nghariad bach i!' llefodd, wrth ei weld yn gorwedd yno a saeth drwy'i galon. 'Pwy wnaeth hyn i ti? Disgwyl i'r crochan ferwi oeddwn i, neu fe fyddwn i yma'n gynt. O, beth wna i?' A phlygodd yr hen wrach i lawr i wrando oedd ei galon yn dal i guro ai peidio.

Camodd y dylluan yn ddistaw ar hyd y brigyn, gafael yn y bwa gyda'i chrafanc a rhoi'r ail saeth yn ei phig.

44

'Whish!' Saethodd y saeth drwy'r awyr a tharo'r hen wrach, yn ei phen y tro hwn.

'Hwrê! Hwrê!' gwaeddodd y tylwyth teg dros y wlad a dechrau dawnsio a chanu o ddifrif y tro yma.

'Beth yw'r holl sŵn yna, tybed?' meddai Ianto wrtho'i hun wrth glywed yr holl firi yn dod o gyfeiriad y goedwig. 'Tybed . . .? O, gobeithio, wir!'

A rhedodd nerth ei draed i gyfeiriad y sŵn. Dyna i chi olygfa oedd honno! Cannoedd o dylwyth teg yn dawnsio a chanu o gwmpas cyrff yr hen gawr a'r wrach, yn union fel petaen nhw wedi gwneud cylch o amgylch rhyw fynydd mawr, blêr.

'Tyrd yma, Ianto,' meddai brenhines y tylwyth teg a cherddodd yntau ati'n swil.

'Diolch i ti, rydyn ni wedi cael gwared â'r cawr a'r wrach o'r diwedd.'

'Ond wnes i ddim byd, dim ond rhoi'r bwa yn y goeden fel roedd y dylluan yn dweud. Pwy laddodd y cawr, felly?'

'Ond y dylluan, wrth gwrs. Tyrd yma, dylluan fach.'

Llithrodd y dylluan i lawr o'r goeden yn dawel a sefyll o flaen y frenhines. Cododd hithau ei ffon hud a'i chwifio dair gwaith o amgylch pen yr aderyn. Fflach o olau gwyn ac roedd y dylluan wedi diflannu! Ac yno yn ei lle roedd mam Ianto'n sefyll ac yn gwenu arno.

'Mae'n ddrwg gen i, Ianto,' meddai'r frenhines wrtho. 'Roedd yn rhaid i mi droi dy fam yn dylluan er mwyn iddi allu dianc o afael y cawr. Roedd e bron â'i dal y diwrnod hwnnw pan aeth hi ar goll yn y goedwig. Ac wedi gwneud yr hud, allwn i ddim ei throi'n ei hôl nes iddi ladd y cawr. Dim ond ti allai ei helpu hi i wneud hynny.'

Roedd pawb yng Nghwm Rhymni yn hapus y diwrnod hwnnw, a neb yn fwy hapus na Ianto a'i fam.

*   *   *

Ond nid dyna ddiwedd y stori. Ymhen ychydig o wythnosau roedd cyrff y cawr a'r wrach wedi dechrau drewi'n ofnadwy. Roedd hyn yn waeth o lawer na bod yn agos i Idwal Gawr, ac mae hynny'n dweud rhywbeth! Dechreuodd yr aroglau cas ledu dros y wlad i gyd, yn union fel miloedd o wyau drwg, a phawb yn gorfod dal eu hanadl—a'u trwynau!

'Chawn ni byth wared â nhw. Rhaid i ni eu claddu

nhw,' penderfynodd pobl yr ardal a dyna wneud twll mawr yn y ddaear a gwthio'r ddau gorff drewllyd i mewn iddo. Doedd hynny ddim yn waith hawdd, cofiwch, ond gyda chant o geffylau gwedd a digon o raffau fe lwyddon nhw o'r diwedd.

A dyna ddiwedd ar y broblem, meddech chi. Nage, wir. Roedd y drewdod yn dod i fyny drwy'r pridd yn waeth nag o'r blaen a llawer o'r bobl a'r tylwyth teg yn meddwl symud o'r ardal i fyw.

'Beth am eu llosgi nhw?' meddai rhywun o'r diwedd a dyna fynd ati i gynnau coelcerth fawr. Dyna i chi goelcerth oedd honno, roedd y fflamau'n codi yn uchel i'r awyr a phawb yn chwysu yn y gwres. Erbyn y nos roedd yr hen gawr a'r wrach wedi diflannu'n lludw, ond roedd y tân yn dal i gynnau.

'Brysiwch! Mae'n rhaid i ni gario dŵr! Y graig o gwmpas y pwll sy'n llosgi nawr!'

Craig yn llosgi? Chlywodd neb y fath beth erioed, ond roedd yn berffaith wir. Wedi iddyn nhw gario digon o ddŵr o'r afon i ddiffodd y fflamau, fe aeth un dyn dewr i lawr i'r pwll i weld yn union beth oedd yn bod.

'Mae'r graig sydd i lawr o dan y pridd yn ddu ac yn sgleinio,' meddai hwnnw, 'a honno sy'n llosgi. Dyma i chi ddarnau ohoni i chi weld.'

Fe aeth pawb â darnau o'r graig ddu adref i'w rhoi ar y tân ac roedden nhw wrth eu bodd. Roedd y cerrig du yn llawer gwell na choed ac yn llosgi'n goch, braf. O hynny allan fe ddechreuodd pawb fynd i'r pwll i dorri darnau o'r graig ddu bob dydd, yn lle mynd i'r goedwig i gasglu coed. A dyna, meddan nhw, sut y cafodd glo ei ddarganfod yng Nghwm Rhymni.

6. Cawr y Berwyn

Roedd cawr y Berwyn wedi blino'n lân.

'Ble mae'r Amwythig 'na, tybed? Mae'n bell iawn,' cwynai. 'Rydw i ar y ffordd yno ers oriau ac mae'r pridd yma'n drwm.'

Wedi penderfynu'n sydyn y bore hwnnw y byddai'n cerdded i Amwythig yr oedd y cawr. Pam, meddech chi? Doedd o erioed wedi meddwl am fynd yno o'r blaen, ond roedd wedi clywed digon am y lle. O, oedd!

'Hen bobol gas sy'n byw yn Amwythig,' meddai wrtho'i hun am y canfed tro.

Nhw oedd wedi lladd ei dad erstalwm, a hynny heb ddim rheswm yn y byd. Doedd ei dad druan yn gwneud dim byd o'i le, dim ond cymryd ambell i fuwch dew o'r dolydd ar lan afon Hafren i'w swper weithiau.

'Fe gân nhw dalu am yr hyn wnaethon nhw i Nhad,' penderfynodd cawr y Berwyn y bore hwnnw wrth balu'r ardd a chodi tywarchen o bridd â'i raw fawr anferth. 'Mi wn i be wna i. Cario digon o'r pridd yma ar fy rhaw i lenwi gwely afon Hafren a gwneud argae mawr. Ha, ha, mi fydd yna hwyl wedyn! Y dŵr yn llifo dros y glannau ac yn boddi'r dre—a'r holl bobol gas sy'n byw yno hefyd!'

49

Gafaelodd y cawr yn y rhaw a chychwyn yn syth ar ei daith. Doedd ganddo ddim syniad ble'r oedd Amwythig, ond roedd am gario'r pridd yr holl ffordd yno. Dyna i chi dwp! Ond rhai twp oedd y cewri fel arfer, er eu bod nhw mor anferth, a doedd hwn ddim yn eithriad.

*   *   *

'O, rydw i ar goll,' meddai o'r diwedd ar ôl crwydro am filltiroedd. 'A dydw i ddim wedi gweld yr un enaid byw i ofyn pa ffordd i fynd.'

Wrth gwrs, cadw o'i ffordd yr oedd pawb wedi iddyn nhw glywed ei fod ar daith. Roedden nhw'n gallu clywed sŵn ei draed fel taranau yn y pellter ac yn teimlo'r ddaear yn crynu wrth iddo ddod yn nes. A phetai'r hen gawr twp ddim ond yn gwybod, roedd wedi mynd heibio i dref Amwythig ers meitin a bellach roedd ar ei ffordd i ganol Lloegr. Eisteddodd i gael seibiant bach a rhoi'r rhaw ar lawr i orffwys ei freichiau am sbel. Yna, beth welai o'n dod yn araf i'w gyfarfod yn y pellter ond dyn bach a sach ar ei gefn.

'Diolch byth,' meddai'r hen gawr wrtho'i hun. 'Dyna fi wedi gweld rhywun o'r diwedd. Efallai y bydd hwn yn gwybod y ffordd.'

Crydd oedd y dyn bach a phob wythnos fe fyddai'n cerdded i Amwythig i chwilio am waith. Gan ei fod yn grefftwr medrus fe fyddai llawer iawn o bobl yn dod â'u hen esgidiau iddo i'w trwsio ac, fel roedd hi'n digwydd, ar ei ffordd adref o'r dref yr oedd o'r funud honno. Doedd o ddim wedi sylwi ar y cawr gan ei fod yn cerdded a'i ben i lawr a'i gefn wedi crymu gan y baich trwm ar ei gefn. Pentwr o hen esgidiau oedd yn y sach, yn barod i gael eu trwsio erbyn yr wythnos nesaf.

*   *   *

Dyna sioc gafodd y creadur bach pan glywodd ryw lais mawr yn rhuo dros y wlad.

'Wyt ti'n gwybod ble mae Amwythig? Oes gen i lawer o ffordd eto, dywed?'

Gollyngodd y sach ar lawr mewn braw ac edrych i fyny i weld beth oedd yno.

'Brensiach y bratiau!' meddai'r crydd wrtho'i hun. 'Doedd y ddau fynydd yna ddim yma bore heddiw pan o'n i'n mynd heibio ar fy ffordd i Amwythig.'

Rhoddodd ei sbectol ar ei drwyn i gael gweld yn well a chafodd andros o sioc pan sylweddolodd mai cawr mawr oedd un mynydd, yn eistedd yno'n syth o'i flaen. Doedd o erioed wedi cyfarfod â chawr o'r blaen a'r peth cyntaf a ddaeth i'w feddwl oedd y byddai'n well iddo ddianc am ei fywyd. Rhai cas iawn oedd y cewri fel arfer, ond, erbyn meddwl, doedd hwn ddim yn edrych mor gas â hynny chwaith. Doedd o'n gwneud dim byd ond eistedd i lawr yn flinedig a gwenu'n eithaf clên arno. Yna syllodd ar y mynydd arall wrth ei ymyl a gweld mai pentwr o bridd oedd hwnnw, yn gorwedd ar raw fawr anferth. Dyna od!

'Pwy wyt ti, a pam rwyt ti eisiau gwybod?' holodd y crydd yn ddewr.

'Cawr y Berwyn ydw i, ar fy ffordd i Amwythig. Mynd i ddial ar y bobol sy'n byw yno, wyt ti'n gweld.'

'Pam felly? Be ar y ddaear maen nhw wedi ei wneud i ti?'

'Nhw laddodd fy nhad erstalwm ac mae'n rhaid eu cosbi nhw.'

'Ond be wyt ti'n mynd i'w wneud iddyn nhw?' Roedd y crydd yn dechrau poeni erbyn hyn, wrth feddwl am yr holl bobl oedd yn dod â'u hesgidiau iddo i'w trwsio bob wythnos.

'Weli di'r pridd ar y rhaw yma? Wel, rydw i'n mynd i daflu hwn i afon Hafren a boddi'r dre. Be wyt ti'n feddwl o hynny?'

'Dim llawer, a bod yn onest,' meddyliodd y crydd, achos roedd yn sylweddoli y byddai'n dlawd iawn arno heb yr holl waith roedd o'n ei gael yn y dref. Yna fe sylwodd eto ar yr olwg flinedig oedd ar y cawr.

'Wel,' meddai, wedi meddwl am funud. 'Chyrhaeddi di byth yno heddiw, mae hynny'n sicr.'

'Pam? Ydi o mor bell â hynny?'

O, ydi, hyd yn oed i gawr mawr fel ti. Ar fy ffordd adre o Amwythig yr ydw i, fel mae'n digwydd, ac wedi bod ar y ffordd ers wythnosau. Weli di'r sach yma? Edrych, mae hi'n llawn o hen 'sgidiau. Rydw i wedi gwisgo drwy'r rhain i gyd wrth gerdded o Amwythig.'

Syllodd yr hen gawr yn syn ar y tyllau yn yr esgidiau.

'Diar, rhaid fod Amwythig yn bell drybeilig,' meddai wrth y crydd. 'Dyna lwc i mi dy gyfarfod ti. Rydw i wedi blino'n barod, heb sôn am wynebu taith hir eto.'

'Be wnei di felly?' holodd y crydd yn bryderus.

53

'Mynd adre, siwr, ond wna i ddim cario'r pridd yma'n ôl efo fi chwaith.'

Gafaelodd y cawr yn y rhaw a thaflu'r pridd yn bentwr ar lawr y dyffryn. Syllodd y crydd yn syn wrth weld mynydd newydd yn ymddangos yn y fan a'r lle. Yna aeth y cawr yn ei flaen i lanhau'r pridd oedd wedi glynu yn ei esgidiau a thaflu hwnnw wedyn i wneud bryn bach wrth odre'r mynydd.

Yn ei ôl adref i fynyddoedd y Berwyn yr aeth yr hen gawr, yn siomedig a blinedig iawn. Fentrodd o byth wedyn i chwilio am dref Amwythig a chafodd o ddim cyfle i newid cyfeiriad afon Hafren. Ond fe adawodd ei ôl ar Sir Amwythig hefyd, ac mae'r mynydd a'r bryn yno o hyd, meddan nhw.

7. Cawr Pumlumon

'Pwy sy'n curo ar y drws mor hwyr y nos?' bloeddiodd cawr Pumlumon.

'Fi,' meddai llais bach main. 'Rydw i ar goll ers oriau yn y mynyddoedd 'ma ac mae hi'n dywyll fel y fagddu y tu allan. Gaf i ddod i mewn?'

'Cei siwr, croeso!' meddai'r cawr ar unwaith ac agor y drws gyda gwên ar ei wyneb. Gyda dwy wên a dweud y gwir, achos roedd gan y cawr yma ddau ben. Roedd wrth ei fodd pan welodd mai bachgen bach oedd yno'n sefyll o'i flaen, achos doedd ganddo ddim byd i ginio drannoeth. Fe wnâi hwn bryd blasus iawn gyda thipyn o stwffin a grefi.

'Tyrd i mewn, tyrd i mewn . . . Pwy wyt ti, felly?'

'Jac,' meddai'r bachgen bach yn ddewr a chamu i mewn i'r castell.

Roedd y cawr yn disgwyl iddo ddychryn wrth ei weld, fel y byddai pawb arall yn ei wneud, ond doedd o ddim yn adnabod Jac. Wyddai'r hen gawr ddim fod Jac wedi cael gwared â dau gawr yn barod, un yn ei gartref yng Ngherniw ac un arall ar ei ffordd i Gymru. Erbyn hyn roedd Jac yn enwog ac yn edrych ymlaen at gael gwared â hwn eto.

'Tyrd at y bwrdd,' meddai un pen yn groesawus . . .

'Ie,' meddai'r llall. 'Mae digon o fwyd yma.'

'Dim diolch,' meddai Jac, er ei fod bron â llwgu. Roedd un cipolwg ar swper y cawr yn ddigon! Eisteddodd yn dawel yn ei wylio'n bwyta llond dwy ddysgl fawr anferth o gawl, un ar gyfer pob pen, a'r saim yn nofio'n dew ar ei wyneb. Yna, wedi cael llond ei fol, sychodd y cawr ei ddwy geg â'i lawes, torri gwynt yn uchel a dweud,

'Rwyt ti'n edrych wedi blino, fachgen . . . Tyrd, mae'n amser i ti fynd i'r gwely.'

Dilynodd Jac y cawr i fyny'r grisiau tywyll ac wrth fynd roedd yn clywed y ddwy geg yn sibrwd, un yng nghlust y llall.

'Tamaid bach blasus i ginio fory . . . Ond fe arhoswn ni iddo fynd i gysgu gyntaf!'

Wedi cyrraedd pen y grisiau fe agorodd y cawr ddrws mawr derw.

'Dyma ti, dy stafell wely . . . A paid â phoeni os clywi di sŵn yn y nos . . . Dyna pryd mae'r llygod mawr yn dod i browlan o gwmpas y castell yma . . . Ond wnân nhw ddim byd i ti.'

'O, peidiwch â phoeni. Fe fydda i'n iawn,' meddai Jac yn siriol. 'Rydw i wedi blino cymaint fel 'mod i'n cael trafferth i gadw fy llygaid ar agor.'

Da iawn . . . Nos da,' meddai'r cawr gan wenu dwy wên slei.

Wrth gwrs doedd Jac ddim yn bwriadu mynd i gysgu. Beth wnaeth o ond rhoi darn mawr o bren ar obennydd y gwely a thynnu'r dillad drosto. Yna mynd i guddio y tu ôl i'r cwpwrdd ac aros yno am oriau, yn gwneud ei orau glas i gadw'n effro.

O'r diwedd fe glywodd y cloc yn taro deuddeg ac yna
sŵn traed y cawr yn llusgo ei hun i fyny'r grisiau ac yn
agor y drws yn ddistaw bach. Roedd ganddo gannwyll
yn un llaw a phastwn anferth yn y llall. Cerddodd y
cawr ar flaenau'i draed at y gwely a tharo'r gobennydd
yn galed gyda'r pastwn nes roedd darnau bach o bren
yn neidio i'r awyr.

'Rhaid fod ganddo esgyrn brau . . .'
meddai un pen wrth y llall.

'O, fe fydd ei gig yn ddigon
blasus, fe gei di weld,'
meddai'r llall.

*   *   *

Bore drannoeth, dyna
sioc gafodd y cawr wrth
weld Jac yn cerdded yn
dalog i lawr y grisiau.

'Bore da, fachgen . . .
Gysgaist ti'n iawn?'

'Do, diolch.'

'Beth am y llygod? . . .
Wnaethon nhw ddim dy
boeni di, felly?'

'Naddo, ddim llawer.
Ro'n i'n meddwl 'mod i
wedi teimlo cynffon
un ohonyn nhw'n cosi
fy nhrwyn ganol nos,
dyna i gyd.'

Edrychodd y ddau ben ar ei gilydd mewn syndod. Rhaid fod hwn yn fachgen cryf eithriadol. A, wel. Fe ddôi digon o gyfle eto!

'Wel, tyrd i gael dy frecwast. Dyma bowlen o uwd i ti . . . Mae bachgen cryf fel ti angen brecwast iawn.'

Syllodd Jac ar y bowlen anferth yn llawn o uwd. Rhaid fod yna tua deg litr ynddi, ond doedd o ddim am ddangos i'r cawr ei fod yn rhy wan i'w fwyta. Yna sylwodd fod gan hwnnw ddwy bowlennaid fawr o'i flaen, fel y noson cynt.

Dechreuodd Jac fwyta'r uwd ac fel roedd y bowlen yn mynd yn wacach bob munud roedd pedwar llygad y cawr yn syllu ar y bachgen mewn syndod. Pwy fyddai'n

meddwl fod un mor fach â hwn yn gallu bwyta cymaint!
Dyna pam roedd o mor gryf, mae'n rhaid.

Ond wyddai'r cawr ddim fod Jac yn codi'r uwd ar ei
lwy ac yna'n ei dywallt i fag lledr oedd ganddo o dan ei
gôt.

'Diolch yn fawr,' meddai Jac o'r diwedd gan grafu
gwaelod y bowlen yn lân. 'Blasus iawn! A nawr fe
ddangosa i dric digri i chi. Allwch chi byth ei wneud o,
cofiwch, achos mae hwn yn dric clyfar. Ond rwy'n addo
y byddwch yn torri eich bol wrth chwerthin.'

'Tyrd yn dy flaen 'te,' meddai un pen yn eiddgar . . .

'Rwy'n hoff iawn o dricie digri,' meddai'r llall.

Gafaelodd Jac mewn cyllell finiog a gwneud rhwyg

mawr yn y bag lledr. Llifodd yr uwd i gyd allan ar y llawr ac agorodd y ddwy geg mewn rhyfeddod.

'Hy, hawdd!' meddai'r cawr, gan feddwl fod Jac wedi rhoi'r gyllell yn ei stumog ei hun. Os gallai bachgen bach eiddil fel hwn wneud hynny, fe allai yntau hefyd. Gafaelodd yn y gyllell a'i phlannu yn ei fol ei hun, gan ddisgwyl gweld yr uwd yn llifo allan. Rhoddodd un waedd ddychrynllyd a'r funud nesaf roedd yn gorwedd ar ei hyd ar lawr, yn farw. A dyna i chi sut y cafodd Jac wared â chawr Pumlumon. Do, fe wnaeth yr hen gawr dorri ei fol, fel roedd Jac wedi addo, ond nid wrth chwerthin chwaith!